Un chat
bien tranquille

COLLECTION DIRIGÉE PAR NICOLE VIMARD

Titre original : *Cat and Canari.*
© 1984 Michael Foreman.
© 1984 Andersen Presse Ltd, 19-21 Conway St.,
Londres WIP 6BS
pour l'édition originale.
© 1984 Éditions du Seuil pour le texte français.
Tous droits réservés.

ISBN 1re publication 2-02-006919-9
ISBN pour reprise poche 2-02-013715-1

Michael Foreman

Un chat
bien tranquille

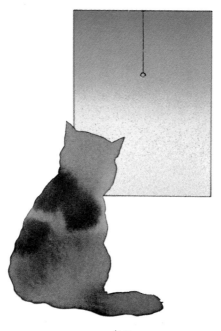

Seuil

Le jour se levait sur la ville.
Paf vit le ciel d'hiver passer
de l'obscurité de la nuit
à la clarté de l'aube.
Plume dormait encore dans sa
cage. Tous les matins, Paf
regardait son maître faire les
mêmes gestes : sortir du lit,
bâiller, se frotter les dents,
se raser, prendre son
petit déjeuner.

Chaque matin, l'homme
répétait les mêmes mots :
« Quel veinard ce Paf !
Rien d'autre à faire
qu'à ronronner toute
la journée dans la maison...
Pas vrai , paresseux ? »
Puis il mettait
son manteau, son chapeau,
et s'en allait
à son travail.

Mais chaque matin, dès
que l'homme avait disparu,
Paf ouvrait la porte de
la cage et libérait Plume.
Le canari avait
l'habitude de voleter
autour de la pièce
avant de boire
son café au lait
à côté de Paf.

Ensuite, ils grimpaient l'un
et l'autre sur le toit,
et Plume s'envolait.
Il adorait monter très haut,
puis piquer du bec et
tournoyer dans l'air
comme une toupie. Paf aurait
tellement voulu voler avec
son ami, par-dessus les rues
et les ponts, au-delà du fleuve,
jusqu'au pays merveilleux !

Sur les toits, d'autres chats
s'amusaient à attraper les
oiseaux. Paf les regardait,

mais ne faisait pas comme
eux ; après tout, son meilleur
ami était un canari.

La plupart du temps,
tous les oiseaux

venaient se réfugier
au-dessus du toit de Paf.

Un jour de grand vent, Paf
trouva un cerf-volant enroulé
autour de l'antenne de
télévision. Il défit les nœuds,
mais s'empêtra dans la corde.

A peine libéré, le cerf-volant
bondit dans les airs
et emporta Paf.
Les autres chats trouvaient
drôle de le voir voler.

Le vent qui soufflait avec
violence emmena Paf très

haut, jusqu'au sommet des
plus grands gratte-ciel.

Plume essayait désespérément
de suivre son ami.
Au début, Paf eut très

peur, mais bientôt il trouva
formidable de voler
comme un oiseau.

Le soleil faisait ressembler
les gratte-ciel

à des montagnes d'or
et d'argent.

Mais bientôt quelques nuages
commencèrent à arriver.
L'ombre de Paf
se dessinait
sur le trottoir
et effrayait
les passants.

Les immenses gratte-ciel
semblaient tout à coup
bien effrayants.

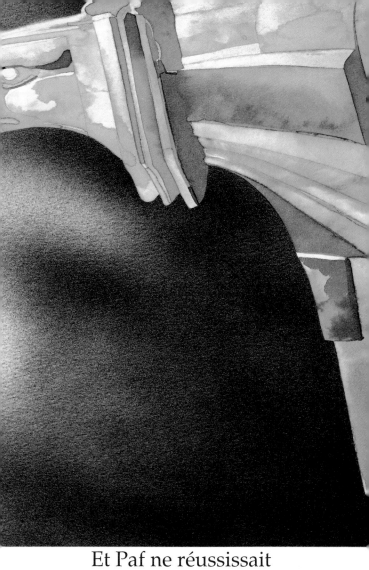

Et Paf ne réussissait
plus à diriger
le cerf-volant.

Le vent l'entraînait de plus en plus loin de sa maison. Sous lui,

il voyait le fleuve glacé.
Et la neige
se mit à tomber.

Soudain, entre les gros flocons,
Paf vit approcher Plume, suivi
de toute une bande d'oiseaux.
De leurs becs, les oiseaux
saisirent la queue du cerf-

volant, puis la corde, et mirent
le cap sur la maison de Paf.

Ils descendirent à travers
le rideau de neige,

se dirigeant vers les lumières
étincelantes de la ville.

Paf et Plume atterrirent sur le
toit de la maison à l'instant
même où leur maître arrivait
au coin de la rue. L'homme ne
les vit pas. Il avait la tête
rentrée dans les épaules
et luttait contre les rafales de
vent et de neige. « Ah ! rêvait-
il, que j'aimerais être un chat,
enfermé, à ne rien faire,
bien au chaud ! »

Paf salua les oiseaux de la
patte, puis attacha la corde du
cerf-volant à l'antenne de
télévision. Tout était prêt
pour le lendemain.

Alors Paf et Plume descendirent à toute vitesse les escaliers
et, quand leur maître ouvrit la
porte, Plume se balançait dans
sa cage et Paf ronronnait, les
yeux clos, sur le tapis.
« Quel paresseux !

dit l'homme. Je parie que tu
n'as pas bougé de toute
la journée. »

« Demain, songeait Paf, si
nous nous y mettons tous,
nous volerons jusqu'au
pays merveilleux,
au-delà du fleuve.
Et nous serons
de retour pour
le goûter. »

Dans la même collection

Le Bébé
École Freinet

L'Éléphant d'Onésime
Marilyn Sadler et Roger Bollen

Un chat bien tranquille
Michael Foreman